Henri-Matisse

Título: Henri MATISSE
© Ediciones Polígrafa, S.A. y Globus Comunicación, S.A. 1994
© Succession H. Matisse/L.A.R.A., 1994
Realización editorial: Ediciones Polígrafa, S.A. - Balmes, 54 - 08007 Barcelona
Director de la Colección: José María Faerna García-Bermejo
I.S.B.N.: 84-343-0758-8
Depósito legal: B. 32.394 - 1994
Impresión: La Polígrafa, S.L., Barcelona
(Printed in Spain. Impreso en España)

Henri
MATISSE

EDICIONES POLÍGRAFA

AUTORRETRATO. NIZA, 1918
*Óleo sobre tela, 65 x 54 cm. Museo
Matisse, Le Cateau- Cambrésis.
Fototeca Henri Matisse.*

MATISSE Y LOS FAUVES

Aunque la vasta trayectoria pictórica de Henri Matisse se extiende a lo largo de toda la primera mitad del siglo XX, la historia del arte contemporáneo lo vincula sistemáticamente al fauvismo, uno de los movimientos que animaron la escena artística francesa de la primera década de siglo, antes de la aparición del cubismo. En esos años, un grupo de jóvenes pintores que iniciaban sus carreras en París bajo la influencia de Cézanne y los posimpresionistas fue coincidiendo en su búsqueda de salidas a un panorama muy vivo, pero bloqueado por la disolución del lenguaje pictórico tradicional que había traído consigo el impresionismo.

Casi todos ellos habían pasado por el taller de Gustave Moreau, un pintor simbolista que gustaba de temas exóticos y decorativos, pero animaba a sus discípulos al cultivo de su propia personalidad individual. Allí coincidieron el propio Matisse, Albert Marquet, Henri Manguin, Charles Camoin y Georges Rouault, a los que más tarde se sumarían André Derain, Maurice de Vlaminck, Jean Puy, Raoul Dufy, Georges Braque, Emile-Othon Friesz y el holandés Kees Van Dongen.

EL COLOR ARBITRARIO

En una u otra medida, todos desembocaron en una pintura de gran libertad, que empleaba colores tímbricos y saturados de forma arbitraria, es decir, independiente del color local del motivo representado en el cuadro.

En el Salón de Otoño de 1905 algunas obras de Matisse, Derain, Marquet y Vlaminck fueron agrupadas en una sala en torno a un busto clásico e italianizante del escultor Albert Marque. La audacia de su propuesta causó el efecto esperado, y Louis Vauxcelles, crítico de la revista Gil Blas, exclamó: *"Tiens! un Donatello parmi des fauves!"* (¡Vaya, un Donatello entre las fieras!), con lo que el grupo quedó definitivamente bautizado.

UN GRUPO EFIMERO

Detrás del fauvismo no había más argumento teórico que su colorismo radical y arbitrario. A diferencia de los grandes movimientos de la vanguardia histórica que se suceden desde 1910, nunca tuvieron la intención de formar un grupo organizado; fueron más bien la crítica y el público quienes así los percibieron. Tal vez por ello el fauvismo puede darse por liquidado en 1907; desde entonces sus integrantes siguieron caminos distintos, pero, hasta que el cubismo pase a la primera línea de la escena artística parisina en los años inmediatos a la Primera Guerra Mundial, los fauves fueron la propuesta más avanzada de la pintura de su tiempo.

Matisse en su estudio de Issy-les-Moulineaux, cerca de París, adonde se traslada en 1909, trabajando en Naturaleza muerta con la danza.

La casa de Moscú de Sergei Schuskin, coleccionista temprano de Matisse, que le encargó los paneles de La música y La danza en 1910.

Matisse y sus hijos durante una excursión a caballo en Clamart, hacia 1910, cuando su carrera empieza a asentarse.

Matisse (a la derecha) con los pintores alemanes Hans Purrmann y Albert Weisberger en Löwenbräu, Munich, en 1910.

Matisse, en su estudio, trabajando en Ninfa del bosque, una de sus últimas incursiones en la pintura mitológica, hacia 1940-1941.

El pintor en sus últimos años, cuando ya sólo podía trabajar desde la cama, modelando una pequeña escultura en yeso.

Matisse ejerció un papel de eje y punto de referencia para sus compañeros del Salón de Otoño de 1905, tanto por su mayor edad como por su empaque sereno y profesoral -Derain le pidió en 1901 que visitara a sus padres para convencerlos de que la pintura era un oficio respetable-. Aunque la etapa fauve sea una parte mínima de su trayectoria, los intereses e inquietudes planteados en aquellos años están presentes en su obra hasta el final.

PUREZA DE RECURSOS

Más tarde señalaría Matisse "la valentía para volver a la pureza de recursos" como la más destacada aportación del fauvismo, y eso fue exactamente lo que significó para su pintura: un punto de partida desde el que dar sentido a la herencia de Cézanne, Gauguin, Van Gogh y los posimpresionistas. Mientras Vlaminck o Dufy se interesaron más por el lado "salvaje" y expresivo del fauvismo, la liberación del color le abrió a Matisse el camino para dotar al cuadro de autonomía frente al motivo, haciendo de él una superficie coloreada organizada según sus propias reglas con vocación decididamente decorativa, en el más noble sentido de la palabra. Lejos de aparentes ambiciones provocativas, Matisse aspiraba a un arte "que sirva como lenitivo, como calmante cerebral, algo semejante a un buen sillón". A partir de 1907 su búsqueda se relaciona antes con pintores como el *nabi* Pierre Bonnard que con sus antiguos compañeros, que no explotaron en su totalidad todo el potencial del fauvismo -Vlaminck- o evolucionaron hacia lenguajes distintos, como Derain y Braque, que derivaron en distinta medida hacia el cubismo.

El color fauve tuvo una importancia decisiva para el expresionismo alemán de Die Brücke a partir de 1910, así como en los primeros pasos de las vanguardias rusas anteriores a la Revolución de Octubre. A partir de esas fechas el papel protagonista del arte moderno recae en las vanguardias que persiguen una transformación del entorno social y cultural, desde el futurismo italiano a la Bauhaus, por un lado, y del dadaísmo al surrealismo, por otro. Matisse, siempre confinado en los límites de la pintura, sigue hilvanando su trayectoria en un discreto segundo plano que los graves acontecimientos del siglo parecen no perturbar. Convertido en una suerte de contrafigura de Picasso, su estrella vuelve a brillar en todo su esplendor gracias a la pujante pintura norteamericana posterior a la Segunda Guerra Mundial.

EL LEGADO DE MATISSE

El entonces recién creado Museo de Arte Moderno de Nueva York incorpora enseguida la obra de Matisse a sus colecciones y le dedica en 1951 una gran retrospectiva. A través sobre todo de Hans Hofmann, el principio del color como responsable de la configuración estructural del cuadro es imprescindible para entender buena parte de la abstracción americana de esos años: Mark Rothko, Ad Reinhardt, Barnett-Newmann, la *hard-edge painting*.

Por todo ello, Matisse, junto a Picasso, es la figura decisiva de la pintura del siglo XX. Su principal legado es el de haber definido un territorio específicamente pictórico para la modernidad frente a la concepción instrumental de la pintura que primó en la mayor parte de la vanguardia histórica.

HENRI MATISSE 1869-1954

La vocación artística de Matisse es tardía. Nacido en 1869 en Le Cateau-Cambrésis, al nordeste de Francia, en una familia provinciana de clase media, su destino no parecía otro que regentar el negocio paterno de comercio de granos tras haber estudiado derecho un par de años en París. El regalo materno de una caja de pinturas en 1890 para aliviar la convalecencia de una apendicitis torció ese destino, y al año siguiente vuelve a París a preparar el ingreso en la Escuela de Bellas Artes, conseguido en 1895 de la mano de Gustave Moreau, cuyo estudio frecuenta desde 1892 y donde conoce a algunos de sus compañeros en la aventura fauvista.

ETAPA DE FORMACION

Antes de encontrar su camino en 1905, su formación está presidida por tres influencias fundamentales: la de Cézanne y su obsesión por restituir al cuadro la solidez estructural que había perdido con el impresionismo; la de Gauguin, cuyas pinturas de la época de Pont Aven son referencia insoslayable para entender la gramática superficial del color del Matisse maduro y la de Van Gogh, primer ejemplo en la pintura moderna en el que el color se libera del tono local del motivo.

Estos estímulos parecen encontrar un cauce en el divisionismo de Paul Signac. Antes de la eclosión fauve, Matisse culmina ese periodo de búsqueda con *Luxe, calme et volupté* (1904), una fábula arcádica construida con rigor a base de los pequeños toques de color puro que prescribía el ideario divisionista; sin embargo, la forzada integración de color y dibujo, que parecen formar dos construcciones coincidentes pero fruto de lógicas separadas, evidencia las limitaciones de esta vía.

LA LOGICA DEL COLOR

Las pinturas realizadas en el verano de 1905 en Collioure en compañía de Derain inauguran el periodo fauve. *Interior en Collioure* o *Ventana abierta* todavía presentan restos de la pincelada fragmentada del divisionismo, pero el color es mucho más libre y se ha despojado de toda obligación descriptiva. La arbitrariedad del color fue, en efecto, la bandera de los fauves. Ninguno, sin embargo, como Matisse ahondó en este concepto con tanto rigor. Mientras Manguin o Vlaminck apenas se limitan a "calentar" el cuadro eligiendo los tonos más vivos y restallantes de su paleta, Matisse persiguió desde el principio construir con el color un orden propio del cuadro distinto del orden de la naturaleza. En las lecciones de pintura que dio entre 1907 y 1909 recomendaba a sus alumnos que "no se deben establecer relaciones de color entre el modelo y el cuadro; únicamente considerarán la equivalencia que exista entre

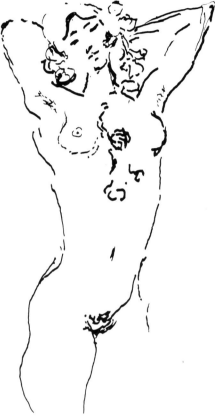

DESNUDO FEMENINO, 1905. *Estudio en pluma y tinta china para* La bonheur de vivre, *que el artista termina un año después, comenzando así a superar su etapa fauve.*

DESNUDO FEMENINO EN EL TALLER, 1935. *Dibujo a pluma que mantiene el clima sensual de los cuadros de odaliscas pintados diez años antes en Niza.*

PAISAJE VISTO A TRAVÉS DE UNA VENTANA, 1912.
Dibujo de su primer viaje a Marruecos, con el tema recurrente de la ventana .

MUJER CON BLUSA SOÑANDO, 1936.
Con este dibujo Matisse anticipa los cuadros de blusas eslavas pintado a lo largo de la década siguiente.

DESNUDO ARRODILLADO ANTE EL ESPEJO, 1937. *Matisse no es ajeno al tema del pintor y la modelo*

las relaciones de color de sus cuadros y las relaciones de color del modelo". El cuadro resulta así una síntesis de las sensaciones coloreadas provistas por el motivo, que puede rastrearse ya en obras de 1905 como *La raya verde*, donde toda la superficie del cuadro es activada por la tensión resultante de la relación entre los distintos acordes de colores complementarios.

PANELES DECORATIVOS

Matisse avanza rápidamente por esta vía a partir de *La bonheur de vivre* (1906); su culminación llega con los paneles titulados *La música y La danza* (1910), en los que la integración de forma y color en un solo sistema se consigue con una sobrecogedora economía de medios, más impresionante aún por la magnitud del formato.

La Primera Guerra Mundial lleva a Matisse de nuevo a Collioure y Niza. Su contacto en 1914 con Juan Gris puede ser el origen de ciertos escarceos cubistas como *Los marroquíes* o *La lección de piano* (1916), aunque casi toda su producción de esa época sigue fiel a la exploración de la lógica superficial del color. Son los años de la reelaboración visual y temática de sus viajes a Argelia y Marruecos de 1906, 1912 y 1913, traducidos después en las odaliscas de los años veinte o en su creciente interés por los modelos seriados de cerámicas, telas estampadas y papeles pintados. Matisse no representaba estos modelos decorativos, sino que los utilizaba dentro del sistema de composición general del cuadro.

El encargo en 1930 de Alfred C. Barnes para pintar un gran mural decorativo en Merion (Pennsylvania) permitió a Matisse recuperar el hilo de su as-

piración decorativa, que ya había rayado a gran altura en *La danza* de Moscú. No es casual que el tema elegido volviera a ser el mismo; la referencia a los ritmos musicales no podía resultar más adecuada a una pintura entendida en términos de armonías de color en un ámbito superficial. Matisse utilizó aquí por primera vez la técnica de los papeles coloreados y recortados, aunque sólo como parte de un proceso de trabajo traducido a un soporte convencional. Los papeles coloreados con gouache y recortados protagonizan los últimos diez años de la vida del pintor a partir de las ilustraciones para el libro *Jazz*, editado por Tériade, en las que empezó a trabajar en 1943. Este procedimiento le permitía literalmente "dibujar con las tijeras con objeto de asociar la línea al color, el contorno a la superficie", culminando así esa idea del cuadro como síntesis que gobierna la obra de Matisse desde cuarenta años antes.

ULTIMOS AÑOS

Antes de morir, en 1954, la capilla del Rosario en Vence remata su obra con un programa decorativo integral en el que ensayar la unidad última de los elementos de la pintura -color, luz, dibujo, representación- que siempre le había fascinado en los frescos de Giotto en Asís. Tanto los papeles recortados como los trabajos para la capilla los realizó un Matisse ya anciano y enfermo, obligado a trabajar a menudo desde la cama. La intensidad de estas obras últimas no desmerece, sin embargo, de las de juventud, animadas ya por las mismas inquietudes que perfilan una de las trayectorias artísticas más homogéneas y coherentes del siglo.

SU OBRA

ANTES DEL FAUVISMO

Las primeras obras de Matisse anteriores a 1900 son bodegones en los que el interés por Chardin -un pintor francés del siglo XVIII- o los flamencos del XVII parece avanzar el sentido constructivo de la pincelada, claramente influido por Cézanne, de los desnudos de los primeros años del siglo (fig. 5). Desde 1903, la técnica de pequeños toques de color puro organizados de acuerdo a las teorías divisionistas de Paul Signac y los temas luminosos y mediterráneos pasan a primer plano, culminando en *Luxe, calme et volupté* (fig. 8), cuya exhibición en el Salón de los Independientes de 1904 consagra a Matisse un año antes de la aparición del fauvismo.

1

2

3

4

5.- *Hombre desnudo o el esclavo, 1900.* La interrelación de pinceladas y manchas de color transcribe los valores de espacio y volumen a la manera de Cézanne, de quien Matisse había adquirido un cuadro en la galería de Vollard el año anterior.

6.- *Muchacha con sombrilla, 1905.* Matisse conoce en 1904 a Paul Signac e inicia una breve etapa divisionista en su obra.

7.- *Japonesa junto al agua. Collioure, 1905.* Un ejemplo de la constante influencia de la estampa japonesa en el arte europeo del momento.

8.- *Luxe, calme et volupté, 1904.* El título, tomado de un verso de Baudelaire, entona con el aire de fábula mitológica mediterránea de esta pintura, adquirida por Signac, en la que Matisse apura la influencia del divisionismo, tendencia que abandona un año después.

6

7

8

EL USO ARBITRARIO DEL COLOR

La irrupción del fauvismo en 1905 encauza definitivamente la trayectoria de Matisse. Más allá de la vertiente escandalosa que para el gusto artístico tradicional supone el uso de colores puros sin relación directa con el tono local del motivo, Matisse se interesa por las posibilidades que se abren de construir el cuadro mediante la interacción de planos yuxtapuestos de color. Así, en el retrato conocido como *La raya verde* (fig. 9) la mitad amarilla del rostro parece avanzar, mientras la anaranjada se retrae hacia el fondo verde; lo mismo ocurre con el rojo del vestido, que se iguala con su fondo del mismo color. La estructura del cuadro proclama así su autonomía respecto del orden de la naturaleza.

9

10

9.- *Retrato de Madame Matisse llamado La raya verde, 1905.* Una de las imágenes emblemáticas del fauvismo.

10.- *Retrato de Madame Matisse, 1913.* Siete años después de La raya verde el mismo tema recibe un tratamiento aún más sintético.

11.- *Mujer con sombrero, 1905.* Fue uno de los cuadros expuestos en el Salón de Otoño de 1905 que mayor impacto causaron. Se pensó que el violento colorido representaba la condición de prostituta de la mujer (en realidad, Madame Matisse). Leo Stein, su comprador, lo definió como "el más horrible embadurnamiento de pintura jamás visto".

11

12

12.- Cebollas de color rosa, 1906.
Las vasijas son cerámicas compradas
por el pintor en Argelia ese mismo
año. Para probar el grado de
simplicidad que buscaba en la pintura,
Matisse intentó hacer pasar este
cuadro ante Jean Puy, uno de sus
compañeros en la aventura fauve,
como obra del cartero de Collioure.

13.- Marino I, 1906. La huella de
Cézanne es todavía visible en el
proceso de construcción del cuadro y
en el intento de dar dimensión
espacial y volumétrica a la pincelada.

14.- Marino II, 1907. Variante del
anterior, el tratamiento es mucho más
plano y las zonas de color parecen
recortadas unas sobre otras. La
violencia de los colores se modera
anunciando el camino de síntesis y
concentración que va adquiriendo
el lenguaje fauve en Matisse.

13

14 Henri-Matisse 1906

ALEGORIAS MEDITERRANEAS

15

En 1906 Matisse pinta *La bonheur de vivre*, un cuadro dominado por las tonalidades cálidas, suaves y luminosas en el que la influencia de las bañistas de Cézanne se funde con un concepto plano y rítmico del cuadro. El tema, alusivo a una arcádica Edad de Oro perdida conecta con la cultura del simbolismo, que tan destacado papel ejerce en los primeros años del siglo, y continúa la veta iniciada en *Luxe, calme et volupté*.

Esta nueva orientación enlaza con la dimensión decorativa que le buscan los nabis al color impresionista en estos mismos años, y continuará en las dos versiones de *Lujo* (fig. 18 y 19) y en tres cuadros de 1908 y 1909 (fig. 15, 16 y 17) que ahondan en una pintura cada vez más sintética, fruto de la extrema depuración a que Matisse ha llevado la experiencia fauve.

16

17

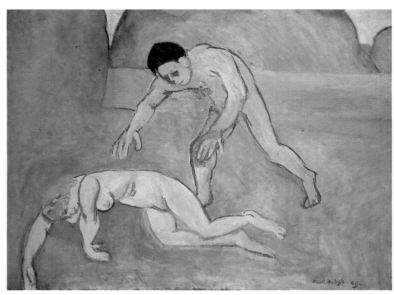

15- 17.- Los jugadores de bolos; Bañistas con tortuga; Ninfa y sátiro, 1908. En estos tres pequeños cuadros Matisse empieza a abandonar los tonos vibrantes del fauvismo, sustituyéndolos por un color más plano y lavado.

18.- Lujo I, 1907. Primera experiencia de Matisse con el gran formato a modo de panel decorativo. La influencia simbolista de Puvis de Chavanne en el tema y las figuras se funde con un tratamiento del color muy luminoso y casi transparente, pero todavía empastado a la manera fauve.

19.- Lujo II, 1908.
La monumentalidad decorativa encuentra ahora el tratamiento adecuado del color en grandes superficies homogéneas de vibración constante. Figura y fondo se igualan y el trazo firme del dibujo organiza las superficies cromáticas como en la pintura de Gauguin.

20.- Armonía en rojo, 1908.
Originalmente entonado en verde y luego en azul, fue definitivamente repintado en rojo. Criada, fruteros, garrafas y paisaje tienen la misma entidad que los motivos vegetales de Jouy del mantel y la pared.

SUPERFICIES DE COLOR

Desde que en su viaje a Argelia de 1906 comprara telas y cerámicas, Matisse se interesará cada vez más por los *patterns* decorativos: telas estampadas, tapices, alfombras, bordados, papeles pintados, tapicerías... Estos motivos le atraían por su condición de lenguajes planos y seriados, un efecto muy apropiado a la búsqueda de la síntesis de forma y color que persiguiera el pintor en toda su obra. Matisse no representa estos modelos, sino que los incorpora al cuadro como elemento rector de su organización superficial, tratándolos en pie de igualdad con los objetos y personajes tridimensionales que aparecen en la pintura. *Alfombras rojas* (1906) es el primer cuadro de este tipo, aunque es a partir de *Armonía en rojo* (fig. 20), reescritura decorativa de *La desserte* (1897), cuando tome carta de naturaleza un tema que no le abandonará ya hasta el final de su obra.

21

21-22.- Bodegón con berenjenas. Acuarela preparatoria y versión definitiva, 1911. La superposición de motivos revela la concepción del cuadro casi como un tapiz, más visible aún en la acuarela preparatoria, donde se prevé una orla encuadrando la escena que ha desaparecido en la versión definitiva. El motivo rectangular central es una mantilla española y los demás son tejidos de inspiración modernista alemana, como los denominados "Martine", comercializados por el diseñador Paul Poiret.

22

23.- Bodegón con geranio, 1910.
La lógica decorativa de
la tela azul contrasta
con el tratamiento más
convencional de los geranios
sobre la mesa y el fondo.

24.- La familia del pintor, 1911.
El espacio de la habitación es
una superficie activada por el
arabesco de alfombras y
tapicerías donde Marguerite
(de negro), Jean, Pierre y
Madame Matisse no son sino
hitos verticales de color que
organizan la composición.

23

24

LA DANZA

Sergei Schuskin, un coleccionista que en 1908 ya le había comprado a Matisse *Armonía en rojo*, le encarga al año siguiente dos grandes paneles decorativos para la escalera de su casa de Moscú. Partiendo del universo temático de *La bonheur de vivre* y del lenguaje decorativo y monumental de *Lujo II*, Matisse realiza *La música* (fig. 25) y *La danza* (fig. 26) con la máxima síntesis de medios: un inmenso acorde verde y azul para el fondo y un bermellón saturado para las figuras, todo ello formando una sola unidad fluida y plana, como una gran sinfonía cromática. A menudo se ha señalado la relación de *La danza* con la coreografía de Nijinsky para *La consagración de la primavera,* de Igor Stravinsky, de 1913, pero lo más importante es la identidad de forma y color, nunca antes tan lograda en la pintura de Matisse.

25-27.- La música; La danza (versión definitiva) ; La danza (estudio preparatorio), 1910. Mientras las figuras estáticas de *La música* semejan notas de un pentagrama, las de *La danza*, en su frenesí rítmico, tensan la superficie del cuadro por la torsión de su giro helicoidal. Pese a la novedad del tratamiento, lo que verdaderamente inquietó a Schuskin fue el tema, que juzgaba poco decoroso por estar plagado de desnudos.

26

27

LA DANZA DE MERION

Matisse vuelve a interesarse por la danza como tema cuando Alfred C. Barnes le encarga en 1930 la decoración de tres grandes lunetos de una sala de la fundación que lleva su nombre en Merion (Pennsylvania). Barnes le había comprado a los Stein *La bonheur de vivre* y estaba muy interesado en la pintura de Matisse, que reaccionó con entusiasmo a la posibilidad de emprender una obra verdaderamente decorativa, es decir, indisociable del espacio para el que fue concebida. Matisse trabajó intensamente durante tres años utilizando grandes papeles coloreados y recortados como quien compone un rompecabezas. El resultado es un gran acorde rosa, azul y gris perla sobre un fondo negro de 52 metros cuadrados que rivaliza con la luz de las vidrieras sobre las que está instalado. Matisse trabajó siempre a escala real, como los antiguos fresquistas, sin trasladar un modelo más pequeño acotado: "el hombre que con su proyector persigue un avión en la inmensidad del cielo, no lo recorre de la misma manera que el aviador", solía decir.

28

30

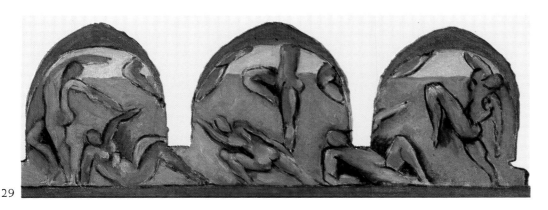

29

28.- La danza, 1938. Ocho años después del encargo de Barnes Matisse vuelve de nuevo al tema, esta vez en gouache recortado y pequeño formato.

29.- La danza I, 1930. Estudio preliminar con un planteamiento cromático y compositivo distinto al finalmente adoptado.

30.- La danza, 1930-1932. Un fallo en la medición del espacio a pintar obligó a Matisse a empezar el trabajo de nuevo. Esta fue la versión rechazada, que presenta leves diferencias con la instalada en Merion en cuanto a la posición de las figuras, pero coincide con ella en lo esencial. No existe ninguna reproducción en color de la versión definitiva por expreso deseo del propietario.

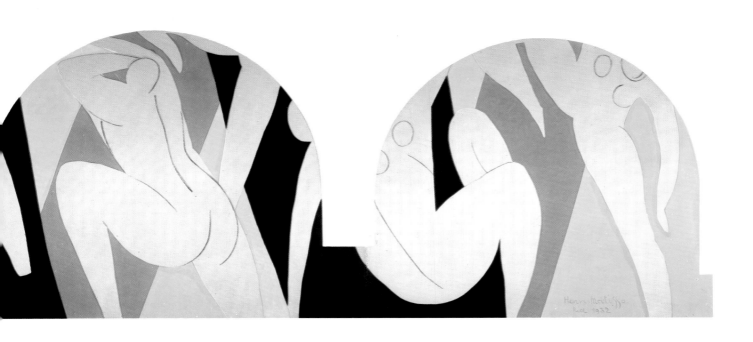

LA FASCINACION DE LO EXOTICO

Siguiendo una arraigada tradición en la pintura francesa que arranca de Ingres y Delacroix, Matisse fue sensible al influjo de lo exótico. Si en 1906 estuvo en Argelia, en 1912 permaneció todo el invierno en Marruecos, adonde volvería en distintas ocasiones. Fruto de ese primer viaje marroquí son una serie de pinturas de 1912-1913 (fig. 31, 32, 33 y 34) en las que predomina un concepto luminoso del color, en acordes muy claros y simplificados. Posteriormente, en el periodo de entreguerras, durante sus estancias en Niza, estos recuerdos se vierten en las odaliscas (fig. 35, 36 y 37), un pretexto para tratar el desnudo en un clima de sensualidad y refinamiento decorativo que supone una variante complementaria del camino emprendido en los grandes paneles decorativos de las distintas versiones de la danza.

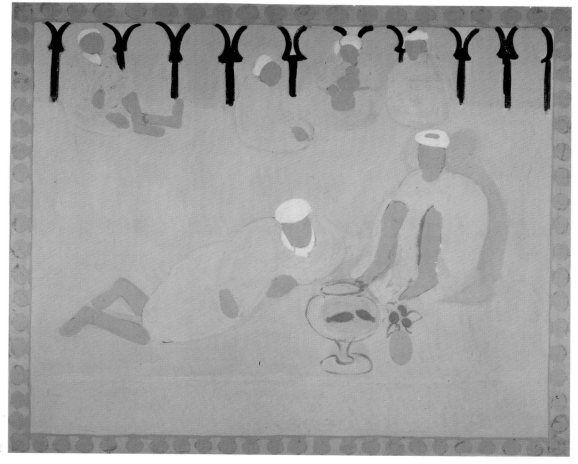

32

31.- El café árabe, 1913. El bullicio
y el colorido del tema se sumen
aquí en un elegante fondo
verde lavado; las figuras flotan en
un espacio fluido y decorativo.

32.- El rifeño de pie, 1913. Se repite
el recurso de dividir el fondo en
un acorde bícromo que juega con
los tonos de la figura, como
en *La raya verde*, pero con un
resultado mucho más plano.

33.- Zorah en la terraza, 1913.
Las babuchas y el vestido estampado
contrapuntean el delicado acorde
crema, azul y turquesa del fondo.

34.- La puerta de la kasbah, 1912.
La luz azul de la tarde entona todo el
cuadro comunicando exterior e
interior y disolviendo las formas
hasta la transparencia.

33

34

35

36

35-37.- *Odalisca con pantalones rojos, 1921; Odalisca con pantalones grises, 1921; Odalisca sentada con los brazos en alto (sillón con franjas verdes), 1923.* Henriette Darricarrère fue la modelo para la mayoría de estas odaliscas, que evocan el mito de la mujer oriental como objeto de un deseo sin responsabilidades ni consecuencias. El alto voltaje sensual de estas imágenes es el reverso erótico del Matisse más espiritual de los últimos años.

Ecos cubistas

A partir de 1912 el cubismo triunfa en la escena artística moderna francesa. Pese a su relación con Picasso, al que había conocido años antes en casa de la escritora americana Gertrude Stein, la pintura de Matisse tenía por entonces un rumbo preciso que mantendría hasta el final de su carrera, por lo que su obra permanece impermeable a las novedades cubistas en cuanto al método de representación. No obstante, y quizá por su contacto con Juan Gris en Collioure y Toulouse en 1914, un grupo de pinturas fechadas entre ese año y 1916 comparte cierta tendencia a simplificar la figura en términos geométricos que puede entenderse como un retorno a Cézanne para responder al nuevo reto planteado por el cubismo. Matisse abandona pronto esta vía, cuya referencia cubista es más aparente que real, que tampoco le aparta de su fidelidad a un concepto plano y sintético de la pintura.

38.- Los marroquíes, 1915-1916.
Eco temático de sus viajes a
Marruecos de 1912 y 1913,
la geometría de las figuras es lo
único que la distingue de las
obras de aquellos años.

39.- La lección de piano, 1916.
Probablemente la obra de Matisse
que más se aproxima al cubismo
de Juan Gris, aunque la
interacción de superficies de color
sigue siendo la cuestión
dominante y el espacio no es en
absoluto cubista.

40.- Muchachas en el río, 1916.
Tardío homenaje a las bañistas
de Cézanne, de las que Matisse
le había comprado una
pequeña versión a Vollard al
principio de su carrera.

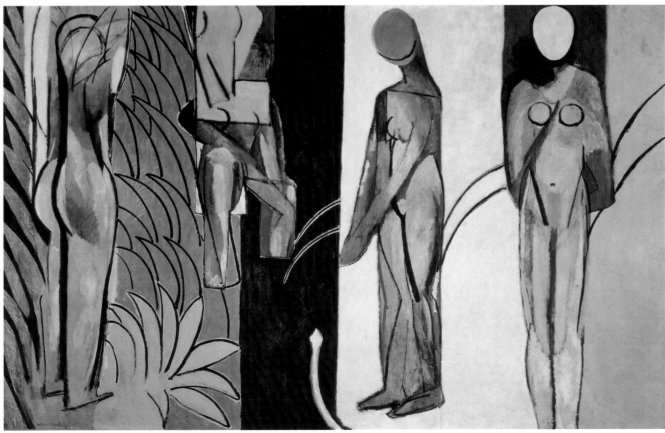

41.- Puerta-ventana de Collioure, 1914. Pintada tras abandonar París al principio de la Primera Guerra Mundial, Matisse se acerca a la abstracción, inaugurando una etapa en que son frecuentes las grandes superficies negras como fondo.

41

42.- La cortina amarilla, 1914-1915. La
inestabilidad geométrica de las líneas del cuadro
favorece la intencionada confusión de figura
y fondo, ahondando en la concepción matissiana
de la pintura como armonía de color.

LOS LENGUAJES DECORATIVOS

En paralelo con sus investigaciones sobre la simplificación de la forma, Matisse sigue empeñado en la segunda década del siglo en una pintura de caballete decorativa y sensual. Cuadros como *Bodegón con naranjas* (fig. 44) continúan su interés por las telas estampadas y sus retratos conservan ese aire íntimo y sensual de las obras de Niza. En el *Estudio rojo* (fig. 43) Matisse ensaya por primera vez la representación del espacio a base de un único acorde rojo que parece prolongarlo indefinidamente. Los cuadros colgados en el taller -*Marinero*, *Gran desnudo*, *Luxe*- contrapuntean esa gran armonía roja y se integran en el sistema general del cuadro de forma análoga a como lo hacen los *patterns* decorativos.

43.- El estudio rojo. Issy-les-Molineaux, 1911. Matisse se había instalado en Issy unos años antes, cuando su posición económica se consolidó. En 1909 ya había tocado el tema del cuadro dentro del cuadro en *Bodegón con la danza*, con criterios semejantes a los del músico que cita una pieza ajena dentro de su composición.

44.- Bodegón con naranjas, 1913. Pintado durante su estancia en Marruecos, Picasso lo comprará treinta años después.

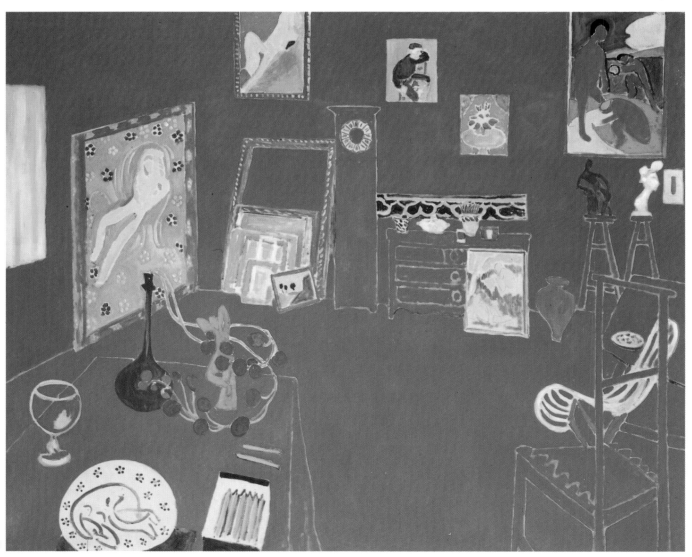

44

45.- *Mujer con turbante, 1917.*
Pintado en Niza, la elegante
suavidad de sus tonos claros
está a medio camino de los
cuadros de tema marroquí y la
influencia de la luz mediterránea.

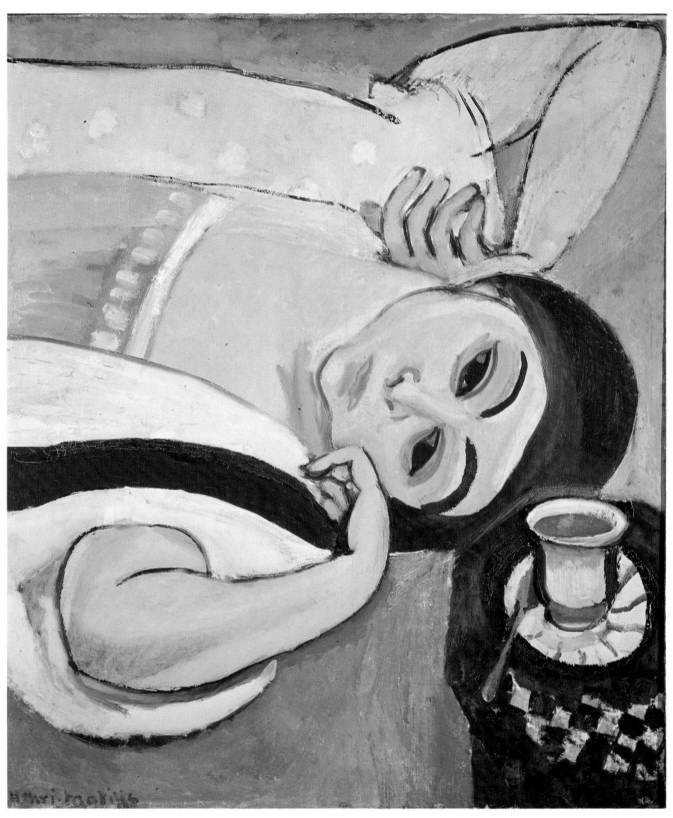

VENTANAS

Casi desde el principio de su carrera, Matisse mostró una singular preferencia por la ventana como motivo pictórico. En buena parte de sus interiores se incluyen vistas a través de ventanas, balcones o puertas que le permiten jugar con distintas luces, así como mostrar de manera muy expresiva la traducción superficial -o sea, al medio específico y propio de la pintura- del espacio en profundidad. Cuando le preguntaron de dónde venía esta preferencia respondió: "probablemente de que mi sentido del espacio es uno solo desde el horizonte hasta el interior de mi taller y de que el barco que pasa a lo lejos habita el mismo espacio que los objetos familiares de mi alrededor, y la pared de la ventana no crea dos mundos diferentes". Matisse entiende el espacio pictórico como un espacio inclusivo, que comprende también al espectador y al pintor, y ese es su punto de conexión entre la pintura de caballete y los grandes formatos decorativos.

47.- La cortina egipcia, 1948. La gran palmera vista a través de la ventana se convierte en un motivo decorativo plano más que complementa la cortina de la derecha.

48.- Gran interior rojo, 1948. Un único acorde de color vuelve a resumir todo el espacio, como en *Estudio rojo.* El espacio a través de la puerta y el cuadro de la pared se igualan en su tratamiento plano.

49.- La ventana. Collioure, 1905. El primer cuadro en el que Matisse aborda el tema de la ventana. Casi un manifiesto sobre la integración de espacio interior y exterior.

47

48

49

50.- Interior con violín, 1917-1918. Los tonos oscuros y sombríos del interior contrastan con la luminosidad adivinada tras la celosía. La disposición del motivo en ángulo ligeramente oblícuo respecto al plano del cuadro provoca una equilibrada tensión entre los valores espaciales y volumétricos y la plana caligrafía del color.

51.- Interior con fonógrafo, 1924. El juego de espacios vistos a través de otros espacios se resuelve mediante contradictorios recursos decorativos (la colgadura hindú, el mantel, los papeles pintados). La aparición al fondo de la cabeza del pintor introduce un elemento de controversia y ambigüedad, puesto que no sabemos si se trata de su imagen reflejada en un espejo o de un incierto espacio más allá de la colgadura.

Una TRAYECTORIA PERSISTENTE

Quizá por haber empezado a pintar ya a una edad adulta, Matisse alcanza pronto la madurez. En 1907 todos los grandes temas e inquietudes de su carrera artística han salido ya a escena; de ahí la coherencia y homogeneidad de una obra que explora hasta sus últimos rincones los caminos que se ha ido proponiendo desde el principio: la ambición de lo decorativo, el cuadro como resultado de la tensión armónica de superficies de color, la pintura sensual e introspectiva a un tiempo... A partir de los años veinte reaparece con regularidad su interés por las superficies decorativas (fig. 54), el gusto por los temas mitológicos (fig. 55 y 63) o su singular manera de integrar en el cuadro los *patterns* decorativos de telas, bordados y estampados (fig. 56, 57 y 58), todos ellos tratados cada vez con mayor espíritu de síntesis y concentración, los dos grandes conceptos que dan continuidad a su trayectoria. En ocasiones, el recorrido de estas vías lo sitúan muy cerca de la técnica de los papeles recortados y pegados que protagonizan sus últimos años.

52

53

54

52.- *La bailarina clásica, 1927.*
Las dos manchas, azul y negra, que
enmarcan la figura crean un espacio
plano en contradicción con la
sugerencia tridimensional del suelo y
la silla, todo ello en una gama fría.

53.- *Mujer con velo, 1927.*
Las incursiones sensuales y
voluptuosas en el mundo del harén

que suponen las odaliscas tienen
también contrapartidas más
contenidas y sintéticas.

54.- *Desnudo rosa, 1935.*
Lydia Délectorskaya, secretaria,
confidente y modelo de Matisse
desde los años treinta, posó para
este cuadro que recupera la
monumentalidad de la figura

de los paneles decorativos de
1910 en un formato más
pequeño. Las proporciones se
manipulan y deforman para
adaptarlas al marco y el fondo se
simplifica al máximo.
La transcripción de los volúmenes
se ha estilizado hasta encontrar su
expresión en medios
exclusivamente superficiales.

55

55.- *La ninfa del bosque o el verdor*, 1936-1942. Reelaborado a lo largo de varios años, representa la continuidad de los temas pastoriles y mitológicos iniciada con *Luxe, calme et volupté* y *La bonheur de vivre*. Ahora la lucha y violación de la ninfa por el sátiro dan un tinte oscuro e inquietante a las fantasías luminosas y arcádicas de los años de juventud.

56-58.- *La blusa azul*, 1936; *Blusa eslava con butaca, fondo violeta*, 1936; *La blusa rumana*, 1940. El tratamiento cada vez más sintético de los modelos decorativos queda bien demostrado en estos tres cuadros y especialmente en Blusa rumana, donde esa sintaxis simplificada y lineal alcanza también a la figura. Matisse se había entusiasmado con esta antigua blusa hasta el punto de declarar que "cambiaría gustoso por un buen dibujo" alguna similar que alguien pudiera ofrecerle.

56

57

58

59.- *Vestido de gala azul y mimosas, 1937*.
Bajo la influencia del retrato de Madame
Moitissier de Ingres, Matisse realizó esta
pintura en la que la opulencia visual se expresa
con gran economía de medios, reticulando
los fondos como en *Desnudo rosa*.

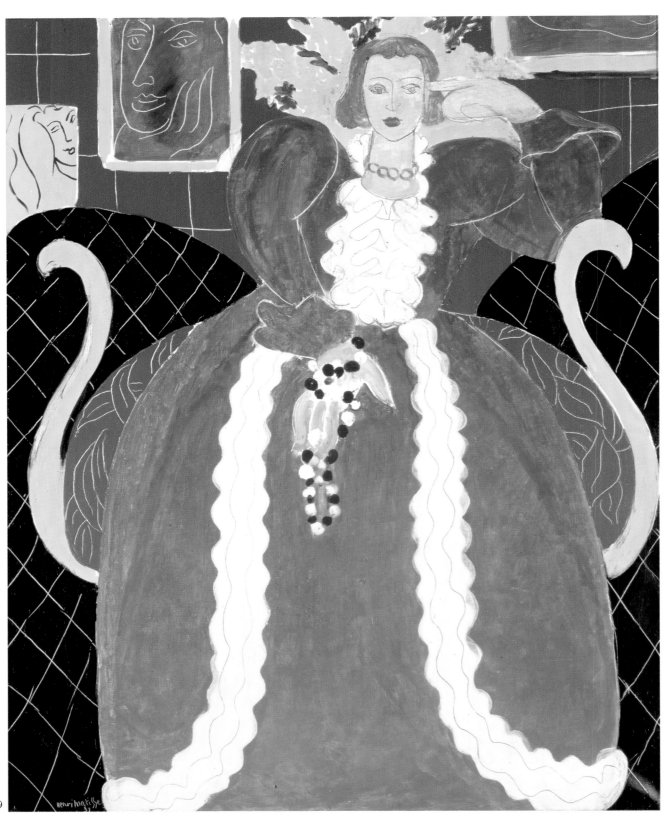

60.- Lectora sobre fondo negro o la mesa rosa, 1939. La concentrada intimidad de los interiores se acentúa en estos años. La condición superficial del cuadro se hace evidente de forma muy directa pese a la complejidad espacial de la escena, con la figura reflejada en un espejo a sus espaldas.

61

62

61-62.- *Bodegón con concha y cafetera (papel recortado y pegado), 1941; Bodegón con concha y mármol negro, 1940.*
La simplificación del motivo aboca a la técnica de los papeles recortados y pegados, como prueba este bodegón, pintado primero al óleo de manera convencional y repetido un año después conforme a este nuevo procedimiento. Matisse juega en cada una de las versiones con distintas formas de conjugar la relación entre figura y fondo.

63.- *Júpiter y Leda, 1944-1945.*
El tríptico, encargado en 1944 por un diplomático argentino para una contrapuerta que comunicaba su dormitorio con el cuarto de baño, es una de las últimas incursiones mitológicas de Matisse. Aunque en principio iba a ser una ninfa dormida contemplada por un sátiro, al final se escogió esta versión abstracta y enigmática de la violación de Leda por Júpiter transformado en cisne.

Papeles recortados y pegados

Los últimos quince años de la vida de Matisse estuvieron marcados por constantes problemas de salud, agravados sin duda por las consecuencias de la Segunda Guerra Mundial y la ocupación alemana, que llevó a la cárcel durante unos meses a su mujer y su hija. Pese a ello su carrera artística no decae, sino que, por el contrario, se ve animada por la incorporación de una nueva técnica que protagoniza la última etapa de su obra. Los papeles pintados con gouache y posteriormente recortados y pegados sobre el soporte permiten a Matisse literalmente dibujar con el color y alcanzar así su ideal de una pintura plana y sintética. El pintor ya los había utilizado en el proceso de trabajo para *La danza de Merion* en 1930, pero será desde 1943, con el libro ilustrado *Jazz*, publicado en 1947 (fig. 64 a 69), cuando esta técnica se generalice tanto para producir originales como tapices. Matisse siempre fue fiel a la frase de Maurice Denis que sostenía que un cuadro, antes que la anécdota que representara, es "una superficie cubierta de colores dispuestos en un cierto orden", pero nunca como en este momento realizaría con tal rigor el ideal de autonomía de la pintura y sentido de lo decorativo que esta famosa sentencia encierra y que la pintura moderna siempre persiguió.

64

65

66

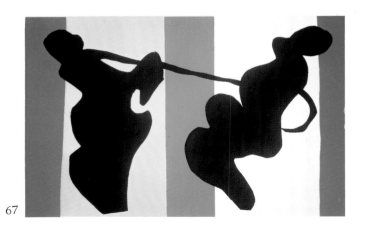

67

64-69.- *Ilustraciones para Jazz:*
Caballo, caballista y payaso, 1947;
El entierro de Pierrot, 1943;
La Laguna 1944;
El Cowboy, 1943-1944;
Icaro, 1943;
El Destino, 1947-1946.
Las ilustraciones para *Jazz* giran
en torno a asuntos circenses o
fantásticos, avanzando tanto
los temas como los planteamientos
de los papeles recortados
que se suceden desde entonces.
La Segunda Guerra Mundial se
infiltra sutilmente en algunas
imágenes, como *Icaro*, metáfora
de un aviador derribado
por el fuego enemigo.

68

69

70

71

70-71.- Oceanía: El cielo,
1946.Polinesia: El mar, 1946.
Dos ejemplos de aplicaciones
decorativas de los papeles
recortados: el primero, un tapiz
de lino para la casa Ashley de
Londres; el segundo, para la
manufactura de Beauvais.
Ambos se inspiran en temas
marinos y acuáticos de su viaje
a Tahití dieciséis años antes y
que ya habían aparecido en la
ilustración para *Jazz* titulada
La laguna (fig.66).

72..- Zulma, 1949.
Entre la tendencia abstracta y
decorativa de los papeles
recortados se singulariza esta
figura de gran formato que
desciende directamente del
personaje central de las dos
versiones de *Lujo* (fig. 18 y 19).
La manera de componer el
fondo a base de planos
complementarios de color, y el
efecto de dividir las dos mitades
de la figura por una gran franja
anaranjada que activa el azul
que le rodea, recuerden también
a otro cuadro emblemàtico de
sus primeros años como *La raya*
verde (fig.9), demostrando una
vez más la honda coherencia de
la obra de Matisse.

les bêtes de la mer...
H. matisse 50

73

74

75

76

73-75.- *Animales Marinos, 1950; Mimosa, 1949-1951; El esquimal, 1947.* Los motivos vegetales y marinos estilizados con criterio decorativo predominan en esta etapa, disminuyendo al mínimo la carga figurativa del cuadro. Estos motivos son los utilizados por estos mismos años en las vidrieras de la capilla de Vence.

76.- *La tristeza del rey, 1952.* Quizá la última obra figurativa de gran formato de la carrera de Matisse

77.- *Las abejas, 1948.* El interés por los ritmos de luz y color en grandes formatos conectan de forma sorprendente con los planteamientos de algunos pintores norteamericanos jóvenes de esta época, como Barnet-Newmann o Frank Stella.

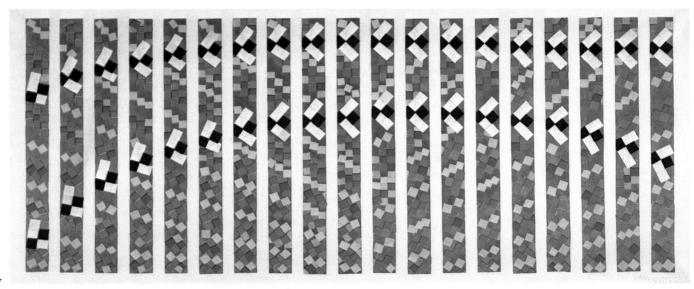

77

78-81.- *Recuerdo de Oceanía,*
1952-1953; Acróbatas, 1952;
La cabellera, 1952;
La piscina. Vista parcial, 1952-53.
Los últimos papeles recortados de
Matisse alcanzan una libertad y una
concentración en la fluidez de los
ritmos de la forma/color sin parangón
en su obra anterior. La insólita
audacia de estas obras, salidas de la
mano de un anciano enfermo que
apenas podía moverse de la cama, da
idea de la dimensión de la figura de
Matisse en el panorama de la pintura
de nuestro siglo. Como ocurre a
menudo con los grandes artistas, su
obra no se estanca una vez alcanzada
la madurez, sino que persiste en una
trayectoria ascendente y
perfectamente fijada desde sus inicios
hasta alcanzar sus últimos objetivos.

79

80

31

LA CAPILLA DEL ROSARIO

La relación de Matisse con Monique Bougeois, una monja que lo había atendido como enfermera en Niza durante una de sus convalecencias, colaborando también en las ilustraciones para *Jazz* y en los papeles recortados, le llevaría a hacerse cargo de la decoración de una capilla para las monjas dominicas en Vence. Con ello culmina su aspiración a un trabajo decorativo entendido como unidad, a la manera de los grandes fresquistas italianos de los siglos XIV y XV -y especialmente Giotto- que tanto le fascinaban. Matisse concibió un espacio diáfano transfigurado por la luz coloreada de las vidrieras; tres grandes paneles de azulejos representando a *Santo Domingo, la Virgen y el Niño y el Viacrucis* absorben la luz de unas vidrieras que repiten los modelos vegetales estilizados de los papeles recortados en un acorde amarillo, verde y azul, aludiendo al tema del Árbol de la Vida. Matisse diseñó también los objetos litúrgicos de la capilla y abordó con entusiasmo inusual un trabajo asumido como algo más que un encargo: el legado artístico y espiritual de un hombre consciente de que trabajaba en su última gran obra.

82.- *La Virgen y el Niño, 1949-1950.* El panel de azulejos recibe el color de las vidrieras del muro lateral.

83.- *El Viacrucis.* La caligrafía desordenada de las distintas escenas de la Pasión busca un efecto general y expresivo en el espectador antes que hacer el tema legible desde el punto de vista narrativo.

84.- *Vidriera.* El Árbol de la Vida. Matisse utiliza tanto los motivos como la lección técnica de los papeles recortados. El color, a diferencia de las pinturas, no es aquí acumulador, sino generador de luz.

85 y 86.- *Vistas del interior de la capilla del Rosario.* "Cuando todo sale mal nos refugiamos en la oración para volver a encontrar el clima de nuestra primera comunión", le dijo una vez Matisse a Picasso. En esta obra el pintor intenta recuperar la pureza de esa inocencia perdida; la armonía de color se produce físicamente a través de la luz coloreada de las vidrieras, que baña los paneles y prolonga hasta el infinito el espacio, sugiriendo así la noción de lo sagrado.

82

83

84

85

86

ÍNDICE DE ILUSTRACIONES

45. *Mujer con turbante*. 1917.
Óleo sobre tela, 81,3×65,4 cm.
The Baltimore Museum of Art, The Cone
Collection, formada por el Dr. Claribel
Cone y Miss Etta Cone, Baltimore, Maryland.

46. *Laurette con taza de café*. 1917.
Óleo sobre tela, 92×73 cm.
Solothurn Kunstmuseum, colección Dubi-
Müller, Solothurn, Suiza.
Foto Artothek.

47. *La cortina egipcia*. 1948.
Óleo sobre tela, 116,2×89,2 cm.
The Phillips Collection, Washington.

48. *Gran interior rojo*. 1948.
Óleo sobre tela, 146×97 cm.
Musée National d'Art Moderne,
Centre Georges Pompidou, París.

49. *La ventana*. Collioure, 1905.
Óleo sobre tela, 55×46 cm.
Colección John Hay Whitney, Nueva York.
Fototeca Henri Matisse.

50. *Interior con violín*. 1917-1918.
Óleo sobre tela, 116×89 cm.
Statens Museum for Kunst, Copenhague.
Foto Hans Petersen.

51. *Interior con fonógrafo*. 1924.
Óleo sobre tela, 100×81 cm.
Colección particular, Nueva York.
Foto Plassart/Artephot.

52. *La bailarina clásica*. 1927.
Óleo sobre tela, 81×60,7 cm.
The Baltimore Museum of Art, The Cone
Collection, formada por el Dr. Claribel
Cone y Miss Etta Cone, Baltimore, Maryland.

53. *Mujer con velo*. 1927.
Óleo sobre tela, 61×50 cm.
Colección Mr. William S. Paley, Nueva York.
Foto Plassart/Artephot.

54. *Desnudo rosa*. 1935.
Óleo sobre tela, 66×92,7 cm.
The Baltimore Museum of Art, The Cone
Collection formada por el Dr. Claribel Cone y
Miss Etta Cone, Baltimore, Maryland.

55. *La ninfa del bosque* o *El verdor*.
1936-1942.
Óleo sobre tela, 242×195 cm.
Musée Matisse, Niza. Donación de Jean
Matisse, depósito del Estado.

56. *La blusa azul*. 1936.
Óleo sore tela, 92×60 cm.
Colección Mr. y Mrs. Harry Bahwin.
Fototeca Henri Matisse.

57. *Blusa eslava con butaca,
fondo violeta*. 1936.
Óleo sobre tela, 22×16 cm.
Colección particular.
Fototeca Henri Matisse.

58. *La blusa rumana*. 1940.
Óleo sobre tela, 92×73 cm.
Musée National d'Art Moderne,
Centre Georges Pompidou, París.

59. *Vestido de gala azul y mimosas*.
1937.
Óleo sobre tela, 92,7×73,6 cm.
Philadelphia Museum of Art.
Donación de Mrs. John Wintersteen.

60. *Lectora sobre fondo negro*
o *La mesa rosa*. 1939.
Óleo sobre tela, 92×73 cm.
Musée National d'Art Moderne,
Centre Georges Pompidou, París.

61. *Bodegón con concha y cafetera*.
1941.
Papeles recortados y pegados sobre tela,
60×81,3 cm.
Pierre Matisse Gallery, Nueva York.

62. *Bodegón con concha sobre mármol negro*.
1940.
Óleo sobre tela, 54,6×81,3 cm.
Museo de Bellas Artes Puskin, Moscú.

63. *Júpiter y Leda*. 1944-1945.
Óleo sobre panel, 183×157 cm.
Colección particular, París.

64. Ilustración para *Jazz: Caballo,
caballista y payaso*. 1947.
Gouache recortado sobre tela, 42,5×65,6 cm.
Musée National d'Art Moderne,
Centre Georges Pompidou, París.
Fototeca Henri Matisse.

65. Ilustración para *Jazz: El entierro de
Pierrot*, 1943.
Gouache recortado sobre tela, 44,5×66 cm.
Fototeca Henri Matisse.

66. Ilustración para *Jazz: La laguna*. 1944.
Gouache recortado sobre tela, 43,6×67,1 cm.
Fototeca Henri Matisse.

67. Ilustración para *Jazz: El cowboy*. 1943-1944.
Gouache recortado sobre tela, 43×68 cm.
Fototeca Henri Matisse.

68. Ilustración para *Jazz: Ícaro*. 1943.
Pochoir y gouache, 43,4×34,1 cm.
Fototeca Henri Matisse.

69. Ilustración para *Jazz: El destino*. 1943-1946.
Pochoir y gouache, 44,6×67,1 cm.
Fototeca Henri Matisse.

70. *Oceanía: el cielo*. 1946.
Colgadura de lino, 177×180 cm.
Musée National d'Art Moderne,
Centre Georges Pompidou, París.

71. *Polinesia: el mar*. 1946.
Papeles recortados sobre tela, 196×314 cm.
Musée National d'Art Moderne,
Centre Georges Pompidou, París.

72. *Zulma*. 1949.
Gouache recortado, 238×130 cm.
Statens Museum for Kunst, Copenhague.
Foto Hans Petersen.

73. *Animales marinos*. 1950.
Gouache recortado sobre tela, 295,5×154 cm.
National Gallery of Art, Washington, Ailsa
Malon Bruce Fund.

74. *Mimosa*. 1949-1951.
Papel recortado, motivo para un tapiz,
148×96,5 cm.
Ikeda Museum of Twentieth Century Art,
Itoh City.

75. *El esquimal*. 1947.
Gouache recortado, 40,5×86 cm.
Der Danske Kunstindustrimuseet,
Copenhague.
Foto Ole Woldbye.

76. *La tristeza del rey*. 1952.
Gouache recortado, 292×396 cm.
Musée National d'Art Moderne,
Centre Georges Pompidou, París.

77. *Las abejas*. 1948.
Gouache recortado, 101×241 cm.
Musée Matisse, Niza.

78. *Recuerdo de Oceanía*. 1952-1953.
Gouache recortado y lápiz sobre tela,
284,4×286,4 cm.
Colección The Museum of Modern Art,
Nueva York. Mrs. Simon Guggenheim Fund.

79. *Acróbatas*. 1952.
Gouache recortado, 213×207 cm.
Colección Familia Matisse.
Foto Artephot/Faillet.

80. *La cabellera*. 1952.
Gouache recortado, 110×80 cm.
Colección Beyeler, Basilea.
Foto Artothek.

81. Vista parcial de *La piscina*. 1952-1953.
Nueve paneles murales integrados en dos partes.
Gouache recortado y pegado sobre papel y
montado sobre arpillera.
Paneles a-e, 230,1×847,8 cm;
paneles f-i, 230,1×796,1 cm.
Colección The Museum of Modern Art,
Nueva York, Bernard F. Gimbel Fund.

82. *La Virgen y el Niño*. 1949-1950.
Cerámica.
Capilla del Rosario, Vence.
Foto Hélène Adant. Todos los derechos reservados.

83. *El viacrucis*.
Cerámica.
Capilla del Rosario, Vence.
Foto Hélène Adant. Todos los derechos reservados.

84. *El árbol de la vida*.
Vidriera.
Fotografía del interior de la Capilla
del Rosario, Vence.
Foto Hélène Adant. Todos los derechos reservados.

85-86. Vistas del interior de la Capilla del
Rosario, Vence. Foto Hélène Adant.

SUGERENCIAS BIBLIOGRÁFICAS

P. SCHNEIDER. *Matisse*. Flammarion, París, 1993.

J. JACOBUS. *Matisse*. Cercle d'Art, París, 1993.

S. WILSON. *Matisse*. Ediciones Polígrafa,
Barcelona, 1992.

RAOUL-JEAN MOULIN. *Matisse*. Editions Cercle
d'Art, París, 1990.

G. DUROZOI. *Matisse*. Hazan, París, 1989.

A. IZERGHINA. *Henri Matisse*. Editions Cercle
d'Art, París, 1986.

HENRI MATISSE. *Ecrits et propos sur l'art*.
Hermann, París, 1972.

LOUIS ARAGON. *Henri Matisse, Roman*.
Gallimard, París, 1971.